El soldadito de plomo

Dirección editorial: Raquel López Varela
Coordinación editorial: Ana María García Alonso
Maquetación: Concepción Moratiel

Título original: *Der standhafte Zinnsoldat*
Traducción: Guillermo Raebel

© 1999, Esslinger Verlag J. F. Schreiber GmbH, Esslingen - Wien
P. O. Box 10 03 25 - 73703 Esslingen - GERMANY
EDITORIAL EVEREST, S. A.
Carretera León-La Coruña, km. 5 - LEÓN
ISBN: 84-241-1630-5
Depósito Legal: LE. 518-2005
Printed in Spain - Impreso en España

EDITORIAL EVERGRÁFICAS, S. L.
Carretera León-La Coruña, km. 5
LEÓN (España)
Atención al cliente: 902 400 123
www.everest.es

El soldadito de plomo

Hans Christian Andersen

Adaptado por
Arnica Esterl
Ilustrado por
Anastassija Archipowa

EVEREST

Éranse una vez veinticinco soldaditos de plomo, todos hermanos, porque todos ellos procedían de un antiguo jarrón de plomo. Sujetaban el fusil con el brazo, su rostro miraba fijamente al frente y su uniforme era rojo y azul.

Y érase una vez un muchacho a quien, por ser el día de su cumpleaños, se los habían regalado. Levantó la tapa de la caja y, al ver a los soldaditos, dio unas palmadas y exclamó: "¡Soldaditos de plomo!". Éstas fueron las primeras palabras que percibieron en este mundo. El muchacho, una vez más, dijo: "¡Soldaditos de plomo!" Luego los extrajo de la caja y los alineó en formación encima de la mesa. Cada soldadito era exactamente igual que el otro, aunque uno de ellos poseía una sola pierna; quizá había sido el último en ser colado y habría escaseado el plomo necesario. Pero él se mantenía tan firme y seguro sobre su única pierna como los otros sobre las dos. Y sería a este soldadito, precisamente, a quien le correspondería vivir las aventuras más singulares.

Encima de aquella mesa, sobre la que habían sido alineados los soldados de plomo, había otros muchos juguetes; pero el que más llamaba la atención era un pre-

cioso palacio de papel, primorosamente recortado. Las banderas ondeaban en lo más alto del tejado y a través de las muchas ventanitas era posible echar una mirada a los salones interiores. Delante del palacio se alineaban unos esbeltos arbolitos, y entre ellos había un pequeño espejo, con todo el aspecto de un lago de

aguas cristalinas. En sus aguas, y reflejándose en ellas, nadaban unos cisnes de cera. Todo aquello era realmente maravilloso, pero lo más hermoso de todo era una pequeña bailarina que aparecía enmarcada por la gran puerta abierta del palacio. Parecía como si quisiese abandonar el palacio para, con sus saltitos, irse aproximando. También ella había sido recortada de papel, pero llevaba una faldita de hilo claro y sobre sus hombros se agitaba una pe-

queña y estrecha cinta azul, parecida a un chal, que, en medio mismo, llevaba como adorno una rosa brillante, tan grande como toda su carita. La muchacha extendía sus brazos, porque era una buena bailarina; y luego levantó tanto la otra pierna que quedó cubierta por la faldita. El soldadito de plomo no conseguía ver esta otra pierna y llegó a creer que también a ella le faltaba una. "Ésta sería la mujer ideal para mí" pensó, "pero es muy distinguida. Vive en un palacio, mientras yo sólo poseo una caja de cartón, donde vivimos veinticinco, ¡eso no es una vivienda para ella! Pero me encantaría conocerla".

Encima de la mesa también había una tabaquera, y creyó que podría ser un buen lugar donde ocultarse. Se colocó, cuan largo era, detrás de ella, y desde este lugar pudo observar a placer a la pequeña y grácil bailarina quien seguía manteniéndose firme sobre una sola pierna, sin perder para nada el equilibrio.

Una vez hubo anochecido, y antes de que tanto el niño de la casa como toda su familia se fuesen a dormir, todos los soldaditos de plomo fueron depositados otra vez en la caja. Pero hacia la medianoche, todos los juguetes comenzaron a moverse y a jugar unos con otros. Jugaban a "Invitación a palacio", o a "Librar una batalla", o a "Lanzarse la pelota".

Los soldaditos de plomo alborotaban en el interior de su caja de cartón, porque también ellos deseaban jugar con los otros, pero no conseguían levantar la tapa.

El cascanueces daba alegres volteretas, el pizarrín dibujaba divertidas figuras sobre la pizarra; dicho en pocas palabras: allí reinaba tal jolgorio que hasta el canario se despertó y empezó a discutir con ellos. Hablaba con gran elocuencia y en verso, y de vez en cuando hasta cantaba.

Los únicos que no se movían eran el soldadito de plomo y la bailarina: ella se erguía sobre las puntas de los dedos del pie y mantenía los brazos extendidos, pero también él se mantenía firme sobre su única pierna sin apartar los ojos, en ningún instante, de ella. En el reloj dieron ahora las doce y: ¡plaff!, en este mismo instante se abrió la tapa de la tabaquera (que no contenía tabaco por ser un objeto artístico y valioso) y de ella surgió, de un brinco, un duendecillo.

—¡Soldadito de plomo! —dijo el duendecillo, mientras se bamboleaba sobre su muelle helicoidal—. ¡Soldadito de plomo, no pongas tu mirada en aquello que no es para ti!

Pero el soldadito de plomo se hizo el sordo, como si nada hubiese escuchado.

—Bueno, pues espera a mañana y verás —dijo el duendecillo, antes de introducirse nuevamente en su tabaquera.

A la mañana siguiente y después de haberse levantado, los niños cogieron al soldadito de plomo y lo colocaron en la ventana. De repente, ésta (¿había sido el duendecillo o una corriente de aire?) se abrió de par en par y el soldadito cayó desde el tercer piso a la calle. ¡Qué caída más horrorosa! Pero el soldadito logró extender su pierna hacia arriba y así permaneció cabeza abajo, con la bayoneta clavada en el suelo entre dos adoquines.

El muchacho y la criada bajaron inmediatamente a la calle para buscarlo. Estuvieron muy cerca, muchísimo, casi, casi lo pisan, pero no lo vieron y regresaron a casa sin haber logrado su propósito.

¿No habría sido mejor que el soldadito de plomo hubiese gritado solicitando ayuda? "¡Aquí estoy yo!", tendría que haber gritado, y entonces lo habrían encontrado.

Pero él, por llevar uniforme, no creyó conveniente gritar en voz alta. Y por eso permaneció callado.

Y ahora empezó a llover; las gotas de agua eran cada vez más

gruesas y frecuentes, hasta convertirse finalmente en un aguacero. El agua aumentaba de caudal y discurría por encima de los adoquines hasta embalsarse en los charcos.

Cuando terminó el chubasco, dos chiquillos descubrieron al soldadito. "¡Fíjate!", gritaron, "¡aquí hay un soldadito de plomo, esto sí que es un juguete bo-

nito. ¿Qué te parece si lo hacemos navegar en un barco para que viaje por el mundo?".

Dicho y hecho. Doblaron las hojas de un periódico y confeccionaron un barquito, colocaron al soldadito en su interior y lo depositaron en el agua. El soldadito de plomo, ahora a bordo de su maravilloso barquito, navegaba a lo largo del arroyo, mientras los chiquillos corrían a su lado, divirtiéndose muchísimo.

La lluvia, al arreciar, había convertido el riachuelo en una verdadera corriente de aguas turbulentas; el barquito de papel se balanceaba arriba y abajo, y a veces giraba con tanta rapidez que el soldadito de plomo temblaba.

Pero se mantuvo erguido y firme y continuó mirando al frente y sujetando el fusil con el brazo. El barquichuelo, de repente, se introdujo por debajo de un largo puente; estaba tan oscuro que creyó encontrarse otra vez en el interior de su caja. "¿Pero dónde me querrá llevar este barquito?", pensó. "¡El duendecillo es el culpable de todo! ¡Pobre de mí! ¡Si la pequeña bailarina estubiera conmigo podría soportar incluso el doble de oscuridad que ahora!"

A la embarcación se le había ido aproximando mientras tanto una gran rata de agua que vivía debajo del puente.

—¡Alto! ¡Identifícate! ¿Quién está ahí? —gritó la rata—. ¿Tienes pasaporte? ¡Enséñamelo!

Pero el soldadito mantuvo la boca cerrada y, con más fuerza si cabe, sujetó su fusil.

La pequeña embarcación navegaba sin detenerse, y la rata se deslizaba detrás del soldadito, insistente, mientras resoplaba y gritaba a las virutas de madera que flotaban de acá para allá.

—¡Detenedle! ¡No me ha enseñado su pasaporte! ¡Tampoco ha pagado aduana! ¡Tiene prohibido proseguir el viaje!

Pero la corriente era cada vez más impetuosa, y el soldadito de plomo ya empezaba a divisar, desde el lugar que ocupaba, un poco de claridad, concretamente allí donde terminaba el puente. Sin embargo, su oído también percibió al mismo tiempo un sonido espantoso, una especie de zumbidos y de estrépitos capaces de infundir terror y pavor al hombre más valiente. Ello era debido a que la alcantarilla llegaba a su fin, y para el soldadito de plomo esto era tan peligroso como lo sería para nosotros descender con una lancha por una gran catarata.

Se encontraba ya tan cerca del precipicio que le era imposible detenerse. La embarcación de papel proseguía su rumbo y el soldadito de plomo se mantenía todo lo erguido que sus fuerzas le permitían, no quería que nadie le echase posteriormente en cara que sus ojos habían reflejado el miedo que sentía. Arrastrado por aquellos remolinos, el barquito giraba ahora conti-

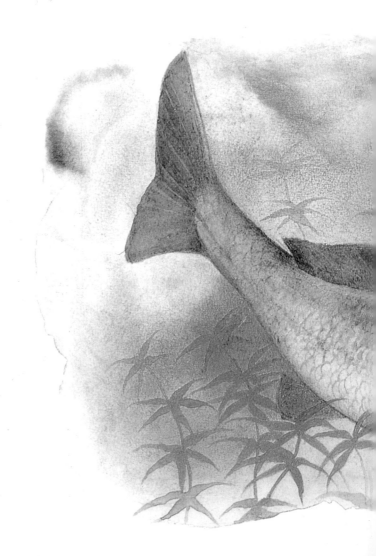

nuamente; estaba inundado de agua hasta la borda y al soldadito de plomo le llegaba hasta el cuello; la embarcación, mientras tanto, iba zozobrando y el papel se deshacía; el agua ya cubría la cabeza del soldadito de plomo. Fue en estos instantes, precisamente, cuando pensó en la encantadora bailarina, a la que nunca más volvería a ver, y recordó una triste canción militar.

¡Navega, navega pobre soldadito,
la muerte, la muerte será
tu sino maldito!

El papel mojado, completamente reblandecido, se desgarró y el soldadito de plomo iba a ahogarse, pero, en aquel instante, un enorme pez se lo tragó.

¡Madre mía! ¡Vaya oscuridad que reinaba en el interior de aquel

cuerpo! Estaba más oscuro que debajo del puente. Y además, esto era más estrecho. Pero el soldadito de plomo conservó su porte marcial y permaneció estirado en el estómago del pez, sujetando el fusil con el brazo. El pez nadaba de aquí para allá, hacía unos movimientos terribles, hasta que, finalmente, se tranquilizó. De repente se abrió una rendija por la cual penetraba la luz y una voz potente exclamó: "¡El soldadito de plomo!" El pez había sido capturado,

llevado al mercado, allí había sido vendido, hasta llegar a la cocina donde la cocinera lo había abierto con un gran cuchillo. Primero quedó perpleja, pero luego cogió al soldadito y lo llevó al salón. Quería que todos viesen al curioso hombrecillo que había estado viajando en el estómago de un pez.

Lo colocaron de pie encima de la mesa y, de repente, constató (¡hay que ver las cosas curiosas que pueden suceder en este mundo!) que se encontraba en la mis-

ma habitación en que había estado anteriormente.

Vio a los mismos niños y los mismos juguetes; sobre la mesa estaba el maravilloso palacio y delante del mismo se encontraba la graciosa y pequeña bailarina. Seguía bailando sobre una pierna, mientras levantaba la otra al aire. ¡También ella había sabido mantenerse firme! Este hecho conmovió al soldadito y estuvo a punto de derramar unas lá-

grimas de plomo, pero él no podía llorar, no estaría bien visto.

Él la miró, ella nada le dijo.

Uno de los niños, sin decir ni media palabra, cogió al soldadito de plomo y lo arrojó al fuego que chisporroteaba en la chimenea; el culpable de todo había sido, una vez más, el duendecillo que se ocultaba en la tabaquera. El fuego de la chimenea lo iluminaba y lo deslumbraba, y luego sintió un

calor realmente terrible. Pero lo
que ignoraba era si éste se debía
realmente al fuego o a su amor.
De su cuerpo se habían desvane-
cido ya los colores. ¿Los había
perdido durante el viaje o había
sido su tristeza la culpable de esta pérdida? Miró a la bailarina,
ella le devolvió la mirada, y él no-
tó que se estaba fundiendo.

Pero todavía se mantenía firme. La puerta, inesperadamente,
se abrió y el viento arrastró a la
pequeña bailarina que, cual mari-
posa, voló también hacia la chimenea, cayendo al lado del soldadito de plomo y ardiendo
inmediatamente; habían
desaparecido para
siempre.

El soldadito
de plomo se
fue fundiendo
hasta convertirse
en una masa compac-
ta. A la mañana siguien-
te, al limpiar la ceniza de la
chimenea, la criada lo encon-
tró convertido en un pequeño corazón. De la bailarina
sólo había sobrevivido, aunque totalmente carbonizada,
una lentejuela en forma de rosa.